The Atlantic Provinces

Les provinces de l'Atlantique

La Nouvelle-Écosse

The resort town of Baddeck
Le village côtier de Baddeck

De la mystérieuse brume matinale qui enveloppe les tranquilles villages de pêche aux paysages déchiquetés et montagneux qui bordent la mer, la Nouvelle-Écosse n'est que havre de paix. Même aujourd'hui, son nom Nouvelle-Écosse traduit un caractère contemporain. En effet, on y parle et on y enseigne la langue gaélique; on célèbre aussi la culture écossaise lors des jeux d'Antigonish (en juillet) et une balade sur la piste Cabot rappelle tout des hautes terres d'Écosse. Halifax, la plus grande ville de cette province en forme de péninsule, possède le port le plus actif de la côte est puisque les navires peuvent y mouiller à longueur d'année.

Le visiteur peut explorer de nombreux lieux insolites en Nouvelle-Écosse. Le long de la partie sud de la route du phare, chaque maison a sa «promenade des veuves», un poste d'observation sur le toit des maisons pour voir les marins essayer de naviguer entre les multiples baies aux contours dentelés et les divers îlots. De tels endroits dissimulés à la fois par la brume et les anfractuosités de la côte attiraient les pirates. Ces derniers apportaient leur butin au dépôt des corsaires (Privateers Warehouse) l'un des plus anciens immeubles qui longent la rade d'Halifax dans la partie des vieux quartiers (Historic Properties) de la ville. Vous pouvez revivre cette époque en participant à la promenade des fantômes d'Halifax, une visite guidée de deux heures en soirée qui fait revivre les légendes des trésors enfouis et des lieux hantés. Le vieux quartier des Historic Properties d'Halifax est le site du premier établissement de la ville. Aujourd'hui, cette section aux rues en pavés regorge de boutiques et de restaurants.

Le Bluenose II, le réputé voilier canadien (illustré sur la pièce de dix sous) est amarré tout près de Privateer's Warehouse. On peut visiter le voilier gratuitement lorsqu'il est à quai. Vous pouvez également admirer la vue splendide d' Halifax en prenant le traversier vers Darthmouth. Dans cette ville de 300 000 habitants, deux sites ressortent : la forteresse de pierre construite en forme d'étoile sur Citadell Hill et l'impressionnante horloge de la vieille ville, érigée en 1803. Tout près, les jardins publics de Halifax, inaugurés en 1867, comptent parmi les plus ravissants jardins de style victorien en Amérique du Nord.

La pêche constitue une industrie essentielle, comme le rappelle l' importante flotte de bateaux de la côte est à Lunenburg. Au nombre des prises les plus appétissantes, on trouve le homard, les pétoncles et l'espadon. C'est très tôt le matin ou en fin d'après-midi qu'il faut visiter le plus célèbre village de pêche de la Nouvelle-Écosse, Peggy's Cove. Son charme ne se dément pas et continue de faire des ravages auprès du nombre record de visiteurs qui s'y arrêtent.

Sur la pointe est du Cap-Breton, le parc national historique de Louisbourg est un pur enchantement. Les visiteurs peuvent retrouver la vie telle qu'on la vivait au 18e siècle, explorer une cinquantaine d'habitations, goûter à la cuisine d'antan et converser avec un personnel fort bien renseigné vêtu en costume d'époque.

Le long de la côte de Fundy en face du Nouveau-Brunswick, les marées sont parmi les plus hautes au monde. La vallée d'Annapolis, toujours embaumée à la fin du mois de mai est réputée pour ses paysages luxuriants, ses vergers en fleur et sa nature incomparable. Les villes bordées d'arbres et d'influence loyaliste contrastent étrangement avec l'impressionnante baie de Fundy. Des falaises du cap Blomindon (blow-me-down), on peut voir des marées qui atteignent une hauteur de 3,8 mètres (12 pi).

Où que l'on soit en Nouvelle-Écosse, on est toujours près de la mer! C'est pourquoi la saison estivale échappe aux grandes chaleurs et exerce un attrait inépuisable et magique sur les vacanciers.

Nova Scotia

From the mysterious morning mist that envelop the tranquil fishing villages to the rugged mountain landscape plunging into the sea, Nova Scotia is an enchanting retreat. The name means "New Scotland" which is still relevant today as Gaelic is taught and spoken, Scottish heritage celebrated at the Antigonish Games (July) and a drive along the Cabot Trail is reminiscent of the Highlands of Scotland. Halifax, this peninsula province's largest city, is also the busiest port on the east coast due to its year-round harbour.

Halifax Skyline
Une vue splendide d'Halifax

There are many intriguing sites to explore in Nova Scotia. Along the southern "Lighthouse Route" the houses still have the "widow's walk", a lookout on the roof to spot sailors who were attempting to navigate the many jagged bays and inlets. Such mist-shrouded secrecy attracted pirates. The pirates brought their booty to Privateer's Warehouse, one of the oldest buildings along Halifax's waterfront in the Historic Properties section of the city. You can relive these days by joining "The Halifax Ghostwalk", a two-hour evening tour that recounts the tales of buried treasure and haunted places. The Historic Properties was the original settlement of Halifax and today the area bustles with shops and restaurants along its cobbled streets.

The Bluenose II, Canada's best-known sailing ship (pictured on the dime), is moored besid Privateer's Warehouse. You can board the ship without charge when it is docked. Or you can enjoy a superb view of Halifax's skyline by taking the short ferry ride to Dartmouth. Two landmarks in this attractive city of 330,000 are the star- shaped stone fortress located on Citadel Hill and the impressive old town clock, built in 1803. Nearby, Halifax's Public Gardens were opened in 1867 and are among the loveliest examples of Victoria-era landscaping in North America.

Fishing is an important industry with a substantial east coast fleet located at Lunenburg. The mouth-watering catch includes lobster, scallops and swordfish. Nova Scotia's most famous fishing village, Peggy's Cove, is best viewed in early morning or late afternoon, due to its idyllic quality that draws visitors in record numbers.

On the Southeast tip of Cape Breton, Louisbourg Historic National Park is a delight. Visitors can relive life in the 1700s by exploring 50 buildings, sampling that century's cuisine and chatting with knowledgeable staff in period costume.

Along the Fundy coast facing New Brunswick, the tides are the highest in the world. Inland the Annapolis valley, always fragrant in late May with apple blossoms, is known for its lush, scenic countryside. But the tree-lined, Loyalist-influenced towns seems a world apart from the surging Bay of Fundy. From the cliffs at Cape Blomindon (blow-me-down cape), you can overlook tides that rise 3.8 metres (12 ft.).

In Nova Scotia you are always close to the sea, a fact that has a moderating effect on the summer climate and an endearing effect on the human spirit.

Halifax's Historic Properties lie in the shadow of the modern city.
Les vieux quartiers d'Halifax au pied de la ville moderne.

The Clock Tower brightens the night sky.
La tour de l'Horloge illumine le ciel nocturne.

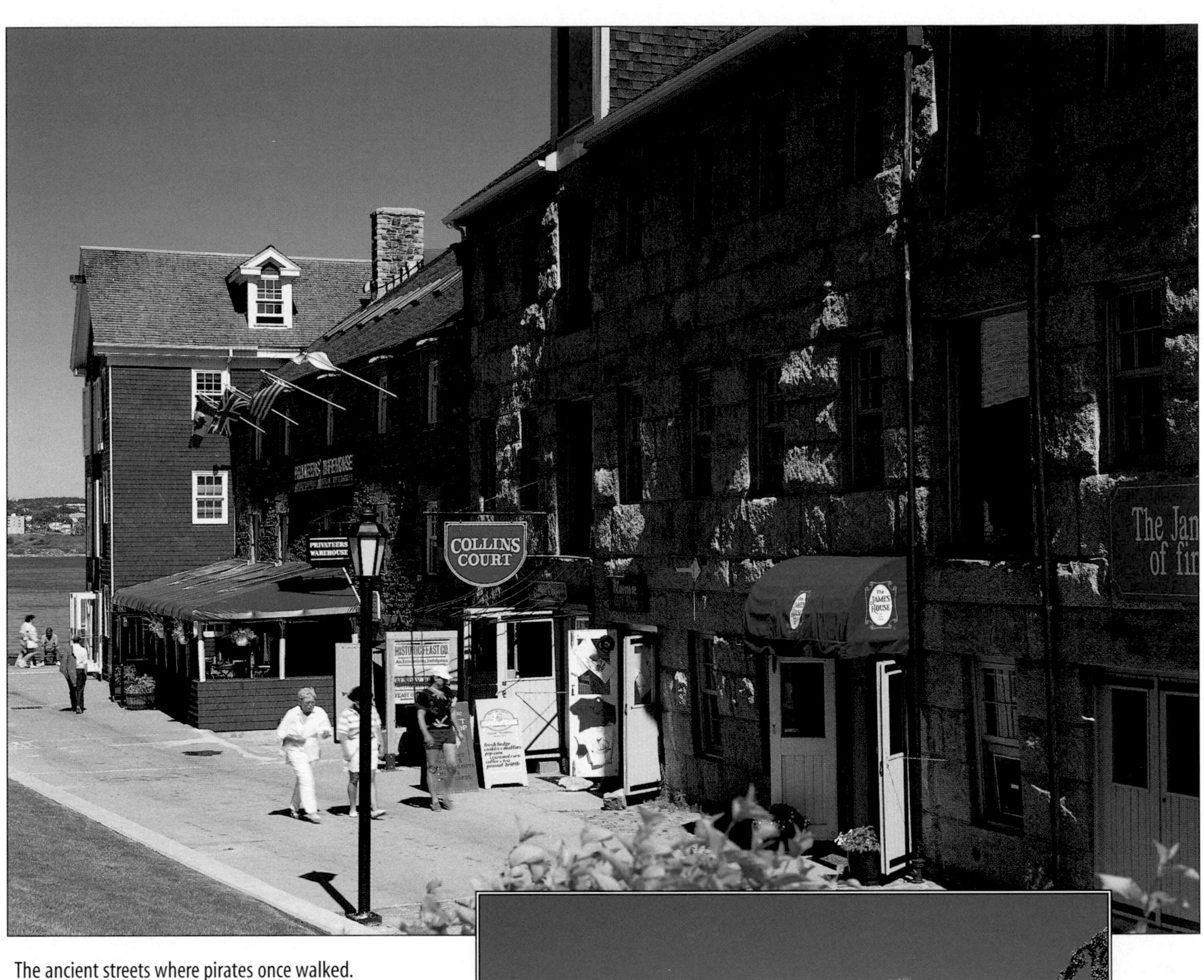

The ancient streets where pirates once walked.
Les anciennes rues où les pirates ont jadis marché.

The Victorian-era Public Gardens.
Les jardins publics de l'ère victorienne.

Halifax has one of the longest natural harbours in the world, 9.6km (6 mi.).
Halifax possède l'un des plus longs ports naturels au monde, 9,6 km (6 milles).

Harbour cruises are offered aboard the Bluenose II.
On peut faire une croisière dans le port à bord du Bluenose II.

Students perform military maneuvers in the Citadel.
Les étudiants exécutent des manoeuvres à la Citadelle.

Peggy's Cove
Wooden warehouses on stilts overlook fishing
boats, and the lighthouse now serves as a post office.
Peggy's Cove
Les débarcadères de bois sur pilotis non loin des barques de pêche et le phare devenu bureau de poste.

Lunenburg, known for its shipbuilding and fishing, has a German heritage.
Lunenburg, réputée pour la construction de navires et la pêche, a des origines allemandes.

The north shore fishing villages of Maitland and Hall's Harbour, famous for its lobster.
Les villages de pêche de Maitland sur la côte nord et le port de Hall, réputé pour son homard.

On the north shore, Port-Royal National Historic Park is a reconstruction of the original 1605 French settlement.
Sur la côte nord, le parc national historique Port-Royal est une reconstitution du premier établissement français en 1605.

Fort Anne National Historic Site displays Acadian history.
Le site national historique de Fort Anne rappelle l'histoire acadienne.

Annapolis Royal Historic Gardens.
Le jardin historique d'Annapolis Royal.

Cape Breton
The highlands create a lasting impression when virgin forest meets rugged cliffs along the sea.
Cap-Breton
Les hautes terres de forêts sauvages qui se transforment en falaises escarpées le long de la mer laissent une impression de grandeur incommensurable.

Louisbourg Historic National Park
This sprawling fort and village depicts 18th century life in vivid detail.
Parc national historique de Louisbourg
Ce fort et ce village reconstitue de façon très exacte la vie telle qu'on la vivait au 18e siècle.

Le Nouveau-Brunswick

Lighthouse on Grand Manan Island
Phare de l'île Grand Manan

La côte sud est la région la plus populaire du Nouveau-Brunswick. À cet endroit, les eaux de la baie de Fundy s'élèvent et s'affaissent pour former les marées les plus hautes du monde. Dans la partie ouest de la côte, la petite station de villégiature St. Andrews fait la joie des visiteurs depuis un siècle. Adorable avec ses pimpantes maisons en bois aux couleurs vives et ses jardins impeccables, St. Andrews se distingue par son église presbytérienne Greenock dont la tourelle blanche est décorée d'un chêne vert. Au quai de la ville, les visiteurs peuvent partir en excursion observer les baleines, notamment les baleines à bosse, les rorquals communs et la baleine minke.

À seulement deux heures de traversée, le visiteur accostera sur l'île rocheuse de Grand Manan, la plus grande île de la baie de Fundy. On y trouve la sérénité la plus complète car les visiteurs disposent de plus de 30 km (19 milles) pour se promener en toute liberté afin d'explorer les anciens rochers et photographier des centaines d'espèces d'oiseaux, notamment les macareux et les hirondelles de mer et se détendre dans la douce lumière de spectaculaires couchers de soleil. On ne peut résister aux plages sablonneuses et aux jolis villages de pêche qui jalonnent le littoral.

S'il prend la direction est, le voyageur se rendra à Saint-Jean, la plus grande ville de la province. Le cimetière de campagne rempli d'ombre abrite de très anciennes pierres tombales et marque le passé loyaliste des lieux; celui-ci revit chaque année en juillet lors du festival annuel des loyalistes qui commémore l'arrivée de 1873. Si vous aimez l'architecture victorienne, vous n'avez qu'à vous inscrire à la visite guidée des sites historiques de la ville pour en admirer la plus imposante concentration qui soit en Amérique du Nord. Les parfums épicés et les plafonds en bois sont la marque de commerce du marché de la vieille ville, fondé en 1876. De l'endroit où se réfugièrent les loyalistes, on peut embarquer à bord d'un bateau pour aller voir de plus près les célèbres chutes réversibles.

À l'est de Saint-Jean, des falaises abruptes dominent la berge du magnifique parc national Fundy. Plus loin à l'est, dans le parc provincial des rochers se dressent des rochers sculptés en forme de pots de fleurs géants. Un escalier menant à la plage permet aux visiteurs d'aller à marée basse examiner de près les formations rocheuses.

La côte nord-est du Nouveau-Brunswick est acadienne; encore aujourd'hui, seize pour cent des résidents de la province parlent uniquement le français. Près de Caraquet, le Village historique acadien nous dépeint les rigueurs des premiers temps de la colonie tandis que les résidents en costume d'époque travaillent dans les champs ou dans leurs modestes demeures, à battre le beurre et à fabriquer des meubles.

Près de Fredericton, le site historique King's Landing rappelle l'histoire des loyalistes britanniques tandis que des charrettes à boeufs déambulent le long des rues étroites parmi les 70 bâtiments dont certains sont très joliment décorés. L'auberge du village sert des plats traditionnels dégustés au siècle dernier.

Fredericton, la capitale du Nouveau-Brunswick, est située dans la fertile vallée du fleuve Saint-Jean et demeure aujourd'hui l'une des villes les plus charmantes de la région des Maritimes. De coquette rues bordées d'arbres et d'élégantes demeures avec des tourelles et d'immenses balcons veillent sur les canots qui glissent sur le fleuve magnifique. La cathédrale Christ Church a été construite en 1853 dans le plus pur style gothique. Le Nouveau-Brunswick est réputé pour ses ponts couverts. Le plus long est celui que l'on trouve à Hartland, au nord de Fredericton. D'une longueur de 391 mètres (1 282 pi), le pont attire une foule de visiteurs, mais cette charmante province compte 74 autres oeuvres en bois qui témoignent de son passé et qui sont disséminées partout sur son territoire.

New Brunswick

The southern coast is the most popular region of New Brunswick. Here the waters of the Bay of Fundy soar and plunge, creating the highest tides in the world. On the western side of the coast the resort town of St.Andrews has been charming visitors since the last century. Ever so appealing with its brightly-painted wooden houses and manicured gardens, St.Andrews' landmark is the Greenock Presbyterian Church, which has a green oak tree on its white tower. At the town wharf visitors can take whale-watching tours to spot humpback, fin and minke whales.

World' longest covered bridge at Hartland.
Le plus long pont couvert au monde à Hartland.

Only a scenic two-hour ferry ride from the mainland is the rugged Grand Manan Island, the largest island in the Bay of Fundy. The serenity is complete with visitors able to roam freely over the 30km (19 miles) long island to explore ancient rock formations, photograph the hundreds of species of birds, including puffins and Arctic terns, and relax in the warm glow of spectacular sunsets. Sandy beaches and pretty fishing villages dot the coastline, further enhancing Grand Manan's considerable appeal.

Heading east will bring the traveler to Saint John, the province's largest city. The strong loyalist background is evident here with a lively annual July festival, re-enacting the 1783 landing and a shaded, pastoral burial ground with ancient inscribed stones. Take the city's historic walking tours to see one of the most concentrated examples of late Victorian architecture in North America. Spicy scents and an arched wooden ceiling are hallmarks of the Old City Market, founded in 1876. At Market Slip, where the Loyalists landed, you can board a boat for a wild ride over the famous Reversing Falls.

East of Saint John steep cliffs dominate the craggy coastline of the beautiful Fundy National Park. Further east The Rocks Provincial Park features formations that resemble giant flower pots. A stairway to the beach allows visitors to examine the formations at low tide.

The Northeast coast of New Brunswick is Acadian and even today 16% of the province's residents speak only French. Near Caraquet, a historic village delightfully re-creates the rigors of the early Acadian life with residents in period costume working in the fields and in modest homes, churning butter and making furniture.

Near Fredericton, The King's Landing site reflects the British Loyalist history with oxcarts rumbling down winding lanes among 70 buildings, some of which are lavishly decorated. A village inn serves traditional food common in the last century.

New Brunswick's capital city, Fredericton, is located in the lush Saint John River Valley and remains today one of the Atlantic region's loveliest cities. Gracious tree-lined streets and stately homes decorated with turrets and grand balconies overlook canoes gliding along the sparkling river. The exquisite Christ Church Cathedral was built in 1853 in a Gothic-revival style.

New Brunswick is known for its covered bridges. The longest one in the world is found at Hartland, north of Fredericton. At 391 metres (1,282 ft.) the bridge attracts considerable attention, but there are 74 other wooden symbols of the past located throughout this charming province.

City Hall, Fredericton
Hôtel de ville de Fredericton

The lighthouse on Fredericton's Regent Street Wharf offers sweeping views of boats cruising the Saint John River.
Le phare qui surplombe le quai de la rue Régent à Fredericton, offre une vue imprenable des navires qui sillonnent le fleuve Saint-Jean.

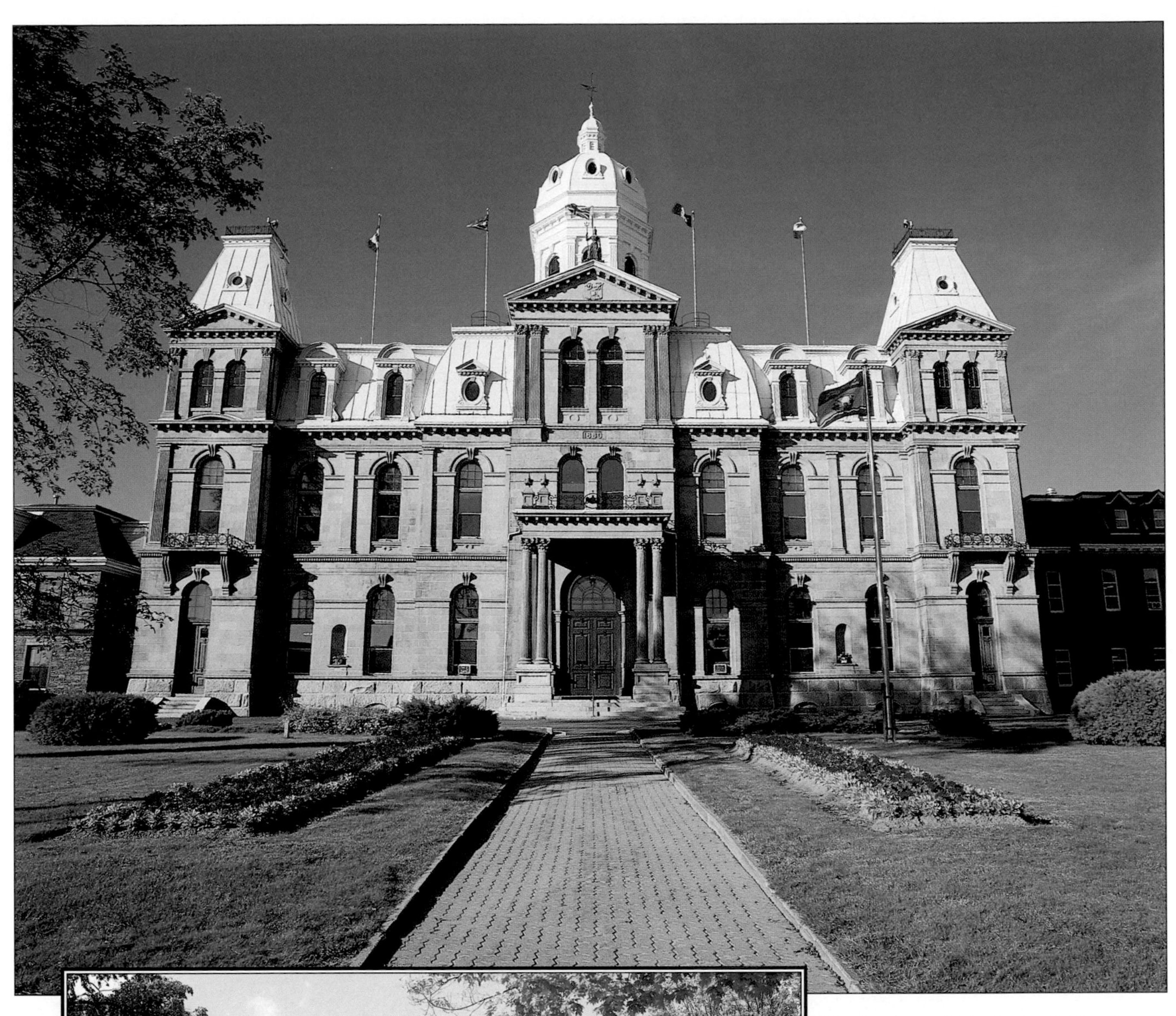

The New Brunswick Legislative Building features a wooden spiral staircase and engraving of "Birds of America" by Audubon.
L'immeuble qui abrite l'Assemblée législative du Nouveau-Brunswick abrite un escalier en spirale de bois et des gravures sur cuivre des oiseaux d'Amérique d'Audubon.

Artifacts from the city's past are on display in the York-Sunbury Museum.
Des artéfacts illustrant le passé de la ville sont exposés au musée York-Sunbury.

Located 37km (23 miles) west of Fredericton, King's Landing Historical Settlement re-creates Loyalist life in the last century.

Situé à 37 km (23 milles) de Fredericton, le lieu historique King's Landing est une reconstitution du premier établissement loyaliste et de la vie au cours du siècle dernier.

The Reversing Falls are not a waterfall but a complete reversal of the flow of water twice a day cause by the tides.
Les chutes réversibles ne sont pas réellement des chutes mais un courant qui change de direction deux fois par jour, à l'heure des marées.

Saint John Skyline
Le ciel de Saint-Jean

Market Square, Saint John.
Place du marché, Saint-Jean.

Walking tours of Prince William Street include views of stone carvings and gargoyles.
Sur la rue Prince William le promeneur peut observer les gargouilles et les sculptures décorant les bâtiments.

A windswept view along the Bay of Fundy, which has the highest tides in the world.
Vue spectaculaire de la baie de Fundy, où l'on observe les plus hautes marées du monde.

Lobster pots line the wharf at Seal Cove on Grand Manan Island.
Les casiers à homard s'alignent le long du quai à Seal Cove sur l'île de Grand Manan.

Visitors can explore the Rocks Provincial Park at low tide.
Les visiteurs peuvent explorer le parc provincial The Rocks à marée basse.

Grand Manan Island features excellent birdwatching, including puffins.
L'île de Grand Manan est l'endroit rêvé pour observer les oiseaux dont le splendide macareux.

Whales are occasionally spotted from the East Quoddy Lighthouse on Campobello Island, one of the enchanting Bay of Fundy Islands.
Du phare de East Quoddy sur l'île Campobello, on peut apercevoir des baleines folâtrer près de l'une des îles enchanteresses de la baie de Fundy.

Fishing Fleet, Campobello Island
Bateaux de pêche, Île Campobello

At Roosevelt-Campobello International Park, visitors can tour the former President's summer house.
Au parc international Roosevelt-Campobello, les visiteurs peuvent visiter la résidence d'été de l'ancien président américain.

A salmon farm on Campobello Island.
Un port de pêche au saumon sur l'île Campobello.

St. Andrews' Algonquin Hotel has been delighting visitors since it opened in 1899.
L'Hôtel Algonquin de St. Andrews ravit les visiteurs qui y séjournent depuis 1899.

St.Andrews is known for its beautiful gardens.
St. Andrews est réputé pour ses jardins d'une grande beauté.

At Parlee Beach in Shediac water temperatures remain at 20° C (68° F) all summer due to sand bars and shallow depth.
À Shediac, la température de l'eau de la plage Parlee demeure à 20 °C (68 °F) tout l'été en raison des bancs de sable et du peu de profondeur.

The Acadian Historic Village located 14km (9 miles) west of Caraquet, displays the hard work and simple pleasures of life in the previous century.
Le Village historique acadien situé à 14 km (9 milles) de Caraquet rappelle le dur travail accompli par les habitants du siècle dernier et témoigne de leurs humbles plaisirs.

Terre-Neuve

Bellflower flourishes along the rocky coast.
Les campanules abondent le long de la côte rocheuse.

Un étrange groupe de bâtiments en bois et recouverts de terre fait face à la mer sur la pointe la plus au nord de l'île de Terre-Neuve. C'est l'Anse-aux-Meadows qui a peu changé depuis que les Vikings y ont d'abord posé le pied vers l'an mil. Ce lieu résume tout le plaisir qu'on peut prendre à visiter cette île magnifique qui est aussi une province. Bien que moins accessible que les autres provinces maritimes, Terre-Neuve demeure un joyau dans la mer.

La côte, semée de fjords, de baies et d' anses innombrables, abrite la vaste majorité des habitants de l'île puisque le centre de l'île n'est que forêt sauvage. Même la plus grande ville et capitale de la province, St John's, située sur la côte est, a le charme et l'attrait d'une petite ville. La colonisation par les Européens remonte à 1528 et en fait la plus vieille ville d'Amérique du Nord.

St. John's n'est que collines et escaliers et il vaut mieux la visiter à pied pour ne rien perdre des vues splendides et s'imprégner de son atmosphère chaleureuse. Accostés aux quais du port, des navires venant de tous les coins du monde s'alignent les uns derrière les autres. Le matin, le visiteur aimera observer ces jolies maisons de bois aux couleurs pastel qui baignent délicatement dans la brume marine.

Signal Hill domine le port et la ville avec ses vues superbes de jour et de nuit tandis que des bateaux entrent et sortent de la rade. Toujours animée la nuit, St John's vibre encore autant qu'à l'époque agitée mais révolue du 18e siècle où la ville comptait quatre-vingt tavernes. On peut entendre une musique unique à Terre-neuve, un mélange de folklore et de musique celtique en dégustant une boisson typique, le Screech, un rhum assez fort.

Tout juste au sud de St. John's, Bay Bulls compte les meilleurs sites d'observation des oiseaux de l'est de l'Amérique du Nord : un nombre imposant d'oiseaux de mer viennent s'y accoupler. L'observation des baleines offre aux amateurs un spectacle incessant puisque la baleine à bosse s'y pavane régulièrement. Les excursions les plus intéressantes d'observation des colonies d'oiseaux et des baleines se déroulent en juillet et en août. Parfois, on peut apercevoir un iceberg à la dérive bien que Twillingate Island soit le meilleur endroit sur la côte nord pour admirer les icebergs.

L'île de Twillingate offre des vues superbes sur l'océan et de petites routes tranquilles bordées de maisons aux teintes pastel, accrochées aux falaises. De mai à juillet, à la hauteur du phare de Longpoint, se déroule la parade des icebergs. Parfois, ce sont des îles de glace qui s'étendent sur 2 km (plus d'un mille) ou des châteaux flottants, tantôt blancs, tantôt bleus ou de couleur jade. Ils descendent aussi par bandes et on peut en voir une douzaine à la fois. Quelquefois, les icebergs descendent aussi loin que St John's dans le sud avant de fondre complètement..

Sur la côte ouest de Terre-Neuve, la piste des Vikings embrasse le littoral rocheux tandis que se profilent à l' arrière les monts Long Range. La vue spectaculaire englobe les hauteurs tubulaires (plateau élevé de rochers), les fjords qui rappellent la Scandinavie, les vastes plages avec des dunes mouvantes et les arcs en grès qui remontent à 400 millions d'années.

Au parc national Gros Morne, les visiteurs peuvent prendre le bateau pour pénétrer dans le fjord et voir les falaises vertigineuses plonger directement dans les eaux fraîches du lac. Peu prétentieux, les Terre-Neuviens ont baptisé cet endroit exceptionnel «l'étang», le Western Brook Pond.

Newfoundland

Hiking in Gros Morne National Park.
Une randonnée pédestre au parc national de Gros Morne

A strange group of wooden and sod buildings stands by the sea on the most northern tip of the island of Newfoundland. This is L'Anse-aux-Meadows, looking very much as it did when the Vikings were here in 1000 AD. The site seems to reflect the joys of visiting this wonderful island province. While less accessible than the other Atlantic provinces, Newfoundland remains a treasure waiting to be explored.

The coast is inundated with fjords, bays and coves and this is where the majority of people live as the island's interior is mainly forested wilderness. Even the largest city and capital, St. John's, located on the east coast, has the coziness and charm of a small town. European settlement dates back to 1528, making it the oldest city in North America. St.John's is a community of hills and steps, best negotiated on foot so as not to miss the great views and colourful atmosphere. The wharves are lined with foreign ships from many lands and the pastel clapboard houses are often delicately surrounded by morning mist.

Signal Hill towers over the harbour and city with sweeping views that are impressive day or night as fishing boats chug in and out of port. St. John's is as lively at night as its rowdy past suggests when there were 80 taverns even in the 1700s. The unique Newfoundland music, a blend of folk and Celtic styles can be enjoyed along with the local beverage, Screech, a potent rum.

Just south of St.John's, Bay Bulls features prime bird-watching. It's one of the best sea-bird breeding areas in eastern North America. The whale watching is also great with the humpback whales known for their ability to leap right out of the water. Boat excursions to tour the bird colonies and see the whales are best in July and August. Icebergs sometimes drift by, although the best area for iceberg-watching is Twillingate Island on the northern coast.

Twillingate has superb ocean views and quiet roads with pastel homes standing proudly on top of cliffs. From Longpoint Lighthouse the parade of icebergs drifts by from May to July. They can be great islands of ice, stretching 2 km (over a mile) long or floating castles, ranging in colour from traditional white to blue or jade. At times dozens can be seen at once. Icebergs sometimes wander as far south as St.John's before melting completely.

On the western coast of Newfoundland the Viking Trail hugs the rugged shoreline with the Long Range Mountains looming in the background. The spectacular scenery includes the lunar-like Tablelands (an elevated plateau of rocks), fjords reminiscent of Scandinavia, wide beaches with shifting dunes and limestone arches formed 400 million years ago.

In Gros Morne National Park visitors can tour the most impressive fjord by boat, where dramatic cliffs plunge vertically into the cool waters of the lake. It is a tribute to the witty, unpretentious nature of Newfoundland's people that they would call this stunning view, Western Brook Pond.

St. John's bustling port.
Le port animé de St. John's.

The hilly streets are lined with wooden row houses.
Les rues en pente et leurs maisons de bois en rangée.

The Quidi Vidi fishing village with its 1762 French battery and a lake used for regattas, is only minutes from downtown St. John's.
À quelques minutes de route du centre-ville de St. John's, on trouve le village de pêche de Quidi Vidi et sa batterie française de 1762 devant le lac où se déroulent des régates.

The heavily fortified Signal Hill overlooks the narrow entrance to St. John's Harbour.
La forteresse Signal Hill domine l'étroite entrée du port de St. John's.

Cape Spear, only 10km (6 miles) from St.John's, is the most eastern point in North America.
À seulement 10 km (6 milles) de St. John's, Cape Spear marque l'extrémité orientale de l'Amérique du Nord.

Icebergs drift south along the east coast like this one spotted in Conception Bay.
Les icebergs dérivent vers le sud le long de la côte est, tel celui-là croqué sur le vif à Conception Bay.

On calm days you can hear the whales blowing off shore and see their splashing presence.
Lorsque la mer est calme, on peut de la rive entendre les baleines et admirer leur imposante présence.

At Witless Bay Ecological Reserve boat tours enable visitors to survey the vast bird colonies.

À Witless Bay, les excursions en bateau de la réserve écologique permettent aux visiteurs de voir de près les importantes colonies d'oiseaux.

A typical view of Newfoundland's rugged coastline.
Vue typique de la côte découpée de Terre-Neuve.

At the old French capital Placentia, the forested coastline is unusual for this province.
L'ancienne capitale française Plaisance (Placentia) compte la seule côte boisée de cette province.

On the south shore the fishing village Rose Blanche is not far from the ferry to Nova Scotia.
Sur la rive sud, le village de pêche Rose Blanche est tout près du traversier qui mène en Nouvelle-Écosse.

L'Anse-aux-Meadows is the wilderness settlement of the first Europeans to land in North America.
L'Anse-aux-Meadows évoque l'établissement rustique des premiers Européens venus en Amérique du Nord.

Newfoundland's dramatic west coast.
L'impressionnante côte ouest de Terre-Neuve.

The hauntingly beautiful Gros Morne National Park is a United Nations World Heritage site.
Saisissant par sa beauté et sa splendeur, le parc national Gros Morne fait partie des sites choisis du Patrimoine mondial.

The wildlife includes caribou.
Le parc abrite des caribous.

Western Brook Pond.
L'étang de Western Brook.

Bonne Bay offers outstanding views for Kayakers.
Bonne-Baie offre une vue sans pareille aux amateurs de kayak.

L'île-du-Prince-Édouard

North Rustico at sunset.
North Rustico au coucher du soleil.

Cette île fertile et luxuriante ressemble de bien des façons aux descriptions captivantes du roman La maison aux pignons verts. L'existence s'y déroule de façon paisible et calme; même la capitale, Charlottetown semble être une petite ville.

De longues plages de sable blanc s'étirent le long de la partie nord de la côte centrale de l'île; ces plages sont protégées par des dunes verdoyantes et des promontoires rouges. L'oyat aide à tenir ensemble ces fragiles et splendides dunes. Le populaire parc national de l'Île-du-Prince-Édouard comporte cinq plages dont la plus connue est la plage Cavendish. C'est également à Cavendish qu'on trouve la célèbre maison aux pignons verts où habitait Anne, l'héroïne bien-aimée. Le roman de Lucy Maud Montgomery a fasciné un vaste public à travers le monde depuis qu'il a été publié en 1908. La pièce de théâtre née du roman attire à Charlottetown chaque été un auditoire nombreux.

Sur la côte nord de l'île, à Burlington, vous trouverez également les reproductions Woodleigh. Ces charmantes reproductions en pierre sont la réplique de la Tour de Londres, de Stratford-on-Avon et de divers châteaux. La côte nord est également reconnue pour ses festins au homard ou «soupers de homard» comme le disent les insulaires. À North Rustico, on peut déguster le homard frais et la chaudrée de palourdes tout en contemplant la mer.

Les plages du sud ne sont pas aussi vastes que celles du nord mais le sable fin de couleur rouge et une ambiance un peu plus en retrait attirent les vacanciers. Au parc provincial North Tea Hill, près de Charlottetown, vous pourrez vous-mêmes pêcher vos moules à marée basse. Cet endroit est l'un des plus beaux de l'île.

Charlottetown, la seule ville de l'île, compte une population de 45 000 habitants. Ses rues gracieuses aux allures victoriennes sont bordées d'arbres et très souvent brumeuses aux petites heures du matin. Province House, lieu historique de cette petite ville, a joué un rôle important dans la création du Canada, car c'est en ses murs qu'est née la Confédération canadienne.

Vers l'intérieur, les terres de l'île se déploient et forment une courtepointe de terres agricoles traversées de routes et de chemins tranquilles où une voiture qui passe fait tourner la tête. Cultivée avec soin dans un sol rouge particulièrement propice, la pomme de terre de l'Île-du-Prince-Édouard jouit d'une réputation qui n'est plus à faire. On récolte également la mousse irlandaise, sorte d'algue qui se détache du fond marin à la fin de l'été. Les pêcheurs recueillent ce trésor offert par la mer et qui contient du carragheen utilisé dans des produits comme la crème glacée et le dentifrice.

Les villages de pêche parsèment toute la côte. Sur les quais battus par le vent, le chargement de homards est déversé des casiers de bois et les pêcheurs sportifs viennent de partout dans le monde pour y pêcher le thon bleu géant, reconnu pour sa saveur.

Malgré les courtes distances nécessaires aux déplacements dans cette petite province, le visiteur qui s'attarde jouira pleinement de son séjour. Il emportera avec lui l'inoubliable souvenir d'une riche palette de couleurs où règnent le rouge somptueux, le vert émeraude, le beige onctueux et le rose pourpré du soleil qui se couche par delà le phare.

Prince Edouard Island

This lush, fertile island province still resembles in many ways the captivating descriptions in the novel Anne of Green Gables. Life here is peaceful, leisurely and even the capital, Charlottetown, seems to be a small town.

The peacefull countryside at French River.
Une paysage champêtre à French River.

Stretching along the island's central north coast are creamy beige beaches backed by grassy dunes and red bluffs. Marram grass helps hold these beautiful, fragile dunes together. The popular Prince Edward Island National Park includes five beaches, the most famous being Cavendish. Cavendish is also known for the House of Green Gables, where the beloved fictional character lived. Lucy Montgomery's novel has fascinated audiences worldwide since it was published in 1908. The play based on the novel is a major attraction in Charlottetown each summer.

Also located on the north shore are the Woodleigh Replicas at Burlington. These adorable large-scale stone models depict British landmarks such as the Tower of London, Stratford-on-Avon and various castles. The north is known for its Lobster feasts, or "feeds" as inlanders call them. In North Rustico you can enjoy fresh lobster and clam chowder while overlooking the sea.

The southern beaches are not as spacious as the north but the smooth reddish sand and a more secluded atmosphere are attractive. At the scenic Tea Hill Provincial Park near Charlottetown you might want to try digging for clams at low tide. This spot is one of the best on the island.

Charlottetown, the island's only city, has a population of 45,000. The gracious, tree-lined colonial and Victorian streets are often misty in the early morning hours. This tiny city's Province House played an important part in the establishment of Canada as a nation, when the terms of confederation were agreed upon within its chambers in 1864.

The island's pastoral interior is a patchwork quilt of farmland with many roads quiet enough that a passing car will attract attention. The main crop is Prince Edward Island's famous potatoes that are grown so lovingly in the red soil. Another major crop for the island is the Irish moss that becomes uprooted on the ocean floor when the summer ends. Fishermen collect this bounty from the sea which contains carrageenan used in such products as ice cream and toothpaste.

Fishing villages dot the coastline. On the weather-beaten wharves the lobster cargo is unloaded from the rounded wooden traps and sports fishermen arrive from around the world in late summer to battle the giant, notoriously feisty, bluefin tuna.

Despite the easy driving distances in this small province, the visitor who lingers receives the greatest satisfaction. The palette of shades : rich red, emerald green, demure beige and the soft rosy hue of the sun setting over a lighthouse create unforgettable memories.

Province House, which is the current parliament of Prince Edward Island, features a restored room where costumed staff re-enact the founding of Canada.
Le lieu historique nommé Province House abrite l'actuelle Assemblée législative de l'Île-du-Prince-Édouard et sa célèbre salle de la Confédération où des figurants en costume d'époque nous fait revivre la fondation du Canada.

Charlottetown's Confederation Centre of the Arts contains a museum, art gallery and a 1,100 - seat theatre.
Le Centre des Arts de la Confédération de Charlottetown comprend un musée , une galerie d'art et une salle de spectacle de 1 100 places.

Charlottetown waterfront.
La rade de Charlottetown.

The Lieutenant Governor's residence, built in 1835, overlooks Victoria Park and Charlottetown's harbour.
La résidence du lieutenant-gouverneur, construite en 1835, domine le parc Victoria et le port de Charlottetown.

House of Green Gables was the attractive setting for Lucy Maud Montgomery's books which have been translated into sixteen languages.
La maison aux pignons verts sur le site enchanteur des romans (traduits en seize langues) de Lucy Maud Montgomery.

The simple house in New London where Lucy Maud Montgomery was born can be toured.
À New London, on peut visiter l'humble demeure de Lucy Maud Montgomery.

A monument in her honour.
Un monument lui rend hommage.

Cavendish, with its red cliffs, sand dunes and delicate, surging waves is one of the prettiest beaches in North America.
Cavendish et ses falaises de grès rouges, ses dunes de sable et ses vagues blanches délicatement ourlées qui viennent mourir sur l'une des plus belles plages d'Amérique du Nord.

Lighthouse at Duchess Point, P.E.I. National Park.
Phare de Duchess Point, parc national de l'Île-du-Prince-Édouard.

Near the northern tip of the island the rugged coast produces a recognizable shape know as Elephant Rock.
Élephant Rock, près de la pointe nord de l'île où la côte rocheuse prend l'aspect d'un éléphant .

At Basin Head Fisheries Museum visitors can learn about P.E.I.'s commercial fishing industry.
À Basin Head, le visiteur découvrira tout de l'industrie de la pêche sur l'île au Musée des pêches.

Malpeque Harbour where vessels leave for deep-sea fishing.
Le port de Malpèque d'où partent les bateaux pour la pêche hauturière.

Pieces of herring are used in wooden lobster traps as bait.
Des morceaux de hareng servent d'appât dans les casiers à homard en bois.

The main fishing seasons for lobster are spring and winter.
Les principales saisons de pêche au homard sont le printemps et l'hiver.

The smaller version of St.Paul's Cathedral.
Une version réduite de la cathédrale St. Paul.

Courtyard of the Tower of London.
Cour de la Tour de Londres.

The Woodleigh Replicas were built by Colonel Ernest Johnstone over a 30-year period.
Les célèbres répliques Woodleigh construites pendant trente ans par le colonel Ernest Johnstone.

Potato fields. P.E.I.'s main crop is sold across Canada
Un champ de pommes de terre, culture principale de l'Île-du-Prince-Édouard; cette dernière est vendue partout au Canada.

The gentle, pastoral landscape of P.E.I. creates a lasting impression.
La beauté de la campagne de l'Île-du-Prince-Édouard, majestueuse et sereine, laisse un souvenir impérissable.

The red cliffs so typical of P.E.I. are washed by the ocean tides.
Les falaises de grès rouge si typiques de l'Île-du-Prince-Édouard baignées par les marées.